Parlons du
MAUVAIS JOUEUR

Distribué au Canada par Grolier Limitée.
Imprimé au Canada.

Dépôt légal, 3e trimestre 1986
Bibliothèque nationale du Québec
ISBN 0-7172-1644-6

Parlons du
MAUVAIS JOUEUR

Texte de JOY BERRY

Illustrations de John Costanza
Revu par Kate Dickey
Conçu par Abigail Johnston

Conseillers à la publication
Roger Aubin et Gaston Lavoie

Grolier Limitée
MONTRÉAL

Parlons du MAUVAIS JOUEUR.

Le mauvais joueur n'est content que s'il gagne.

Quand il perd, le mauvais joueur
- boude,
- crie ou
- fait un caprice.

Le mauvais joueur ment pour pouvoir gagner.

Pour gagner, le mauvais joueur triche.

Pour gagner, le mauvais joueur critique les autres. Une fois qu'on a critiqué quelqu'un, en général cette personne n'a plus confiance en elle-même.

Le mauvais joueur est un gagnant
détestable.

Quand il gagne, il se comporte comme s'il
était le meilleur.

Quand un mauvais joueur gagne, il agit et
parle de façon à vexer les autres.

Personne n'aime être avec un mauvais joueur.

Voilà pourquoi il ne faut pas être mauvais joueur. Il vaut bien mieux être bon joueur.

Le bon joueur sait qu'il est impossible de gagner tout le temps.

Il sait que quelquefois on perd et que quelquefois on gagne.

Il sait aussi que ce n'est pas parce qu'on gagne qu'on est pour autant quelqu'un de bien et parce qu'on perd quelqu'un de moins bien.

Le bon joueur perd avec le sourire. Et bien qu'il n'aime sûrement pas perdre, il félicite chaleureusement son adversaire.

Quand un bon joueur perd, il laisse le gagnant savourer sa victoire. Le bon joueur fait sentir au gagnant qu'il a bien joué et mérité sa victoire.

Le bon joueur est un bon gagnant. Quand il gagne, il fait tout ce qu'il faut pour réconforter le perdant.

TU AS, GAGNÉ!
OUI. MAIS TU AS TRÈS BIEN JOUÉ. J'AIME BEAUCOUP JOUER AVEC TOI, TU SAIS.

Le bon joueur dit de gentilles choses à celui qui a perdu. Il encourage aussi le perdant à jouer de nouveau.

Il est important de traiter les autres de la même façon dont tu aimes être traité.

Si tu ne veux pas que les autres soient de mauvais joueurs, il ne faut pas l'être toi-même.